HKEP

El Rey Mocho

Carmen Berenguer
Ilustrado por Carmen Salvador

Ediciones Ekaré

En un pequeño pueblo vivía un rey a quien le faltaba una oreja.

Pero nadie lo sabía. Siempre tenía puesta
su larga peluca de rizos negros.

La única persona que conocía su secreto
era el viejo barbero de palacio
que debía cortarle el cabello una vez
al mes. Entonces, se encerraba con él
en la torre más alta del castillo.

Un día, el viejo barbero se enfermó.
Dos semanas después murió y el rey
no tenía quién le cortara el cabello.
Pasaron dos, tres días; dos, tres semanas,
y ya las greñas comenzaban a asomar
por debajo de la peluca.

El rey comprendió, entonces,
que debía buscar un nuevo barbero.
Bajó a la plaza en día de mercado
y pegó un cartel en el tarantín donde
vendían los mangos más sabrosos:

El Rey
busca barbero
joven, hábil
y discreto.

Esa noche llegó al palacio un joven barbero.
Y cuando comenzó a cortar el pelo,
descubrió que el rey era mocho de una oreja.
–Si lo cuentas -dijo el rey con mucha seriedad-
te mando a matar.

El nuevo barbero salió del palacio con ese gran secreto.
"El rey es mocho", pensaba, "y no puedo decírselo
a nadie. Es un secreto entre el rey y yo".
Pero no podía dejar de pensar en el secreto
y tenía ganas de contárselo a todos sus amigos.

Cuando sintió que el secreto ya iba a estallarle por dentro, corrió a la montaña y abrió un hueco en la tierra. Metió la cabeza en el hueco y gritó:

¡El rey es mocho!

Tapó el hueco con tierra y así enterró el secreto. Por fin se sintió tranquilo y bajó al pueblo.

Pasó el tiempo y en ese lugar
creció una linda mata de caña.
Un muchacho que cuidaba cabras
pasó por allí y cortó una caña
para hacerse una flauta.
Cuando estuvo lista la sopló
y la flauta cantó:

El rey es mocho
no tiene oreja
por eso usa
peluca vieja.

El muchacho estaba feliz con esta flauta
que cantaba con sólo soplarla.
Cortó varias cañas, preparó otras flautas
y bajó al pueblo a venderlas.
Cada flauta, al soplarla, cantaba:

El rey es mocho
no tiene oreja
por eso usa
peluca vieja.

Y todo el pueblo se enteró
de que al rey le faltaba una oreja.

El rey se puso muy rojo y muy furioso.
Subió a la torre del castillo
y se encerró un largo rato.
Pensó, pensó, pensó...
Luego bajó, se quitó la peluca y dijo:
–La verdad es que las pelucas
dan mucho calor.

Y sólo se la volvió a poner en Carnaval.

EDICIONES
ekaré

Edición a cargo de Verónica Uribe
Dirección de Arte: Irene Savino

Primera edición en tapa dura, 2010

Edif. Banco del Libro, Av. Luis Roche,
Altamira Sur. Caracas 1060, Venezuela

C/Sant Agustí, 6
08012 Barcelona, España

www.ekare.com

ISBN 978-84-937212-0-6

Impreso en China por South China Printing Co. Ltd.